Vigeland

SKULPTURPARK OG MUSEUM I OSLO

SCULPTURE PARK AND MUSEUM IN OSLO

USTAV VIGELAND

vig

eland

NORMANNS KUNSTFORLAG A/S, OSLO

Vigelandsparken er i sin helhet skapt av billed-huggeren Gustav Vigeland (1869-1943). Den dekker et areale på 320 mål og inneholder 212 skulpturer i bronse, granitt og smijern, de fleste plassert langs en 850 meter lang hovedakse. Skulpturene ble utført fra 1907 til 1942.

The Vigeland Sculpture Park was created by one man - sculptor Gustav Vigeland (1869-1943). It covers an area of 80 acres and contains 212 sculptures of bronze, granite and wrought iron. Most of these are placed along a main axis stretching for 930 yards. The sculptures were completed between 1907 and 1942.

Vigelands skulpturer fremstiller mennesker i forskjellige aldre og relasjoner. På rekkverkene på broen (til venstre) står 58 skulpturer i bronse.

Vigeland's sculptures represent people of different ages and in different relationships. On the parapets of the bridge (left), there are 58 bronze sculptures.

Blant broskulpturene finnes en mann og kvinne
inne i en ring.

One of the sculptures on the bridge is of a man
and a woman enclosed in a ring.

taljer av fire skulpturer på broen.   Details of four of the sculptures on the bridge.

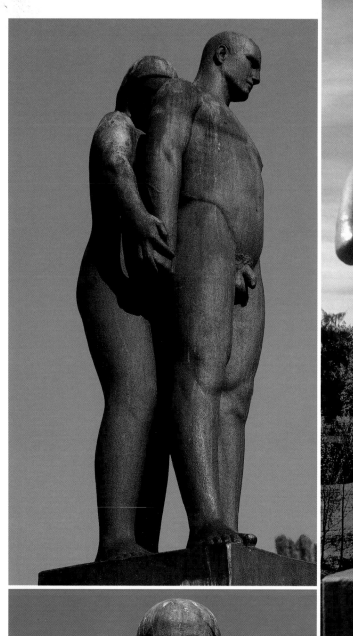

Skulpturer på broen, og utsikt over Frognerdammen.

...ptures on the bridge, and a view of the Frogner pond.

Skulpturer på broen. I hvert av hjørne-
ne står grupper av mennesker og øgler
på høye granittpillarer.

Sculptures on the bridge. Flanking the
bridge at each end are groups of peo-
ple and reptiles on high granite pillars.

Etter broen går veien gjennom et rosarium frem til en fontene med skulpturer. De 20 gruppene i bronse på bassengkarmen av mennekser og trær gir samlet en fremstilling av livets syklus.

After crossing the bridge, the road leads through a rose garden to a fountain. The twenty groups in bronze on the rim of the basin consist of trees and human figures representing the different stages of life. They also display the idea of "cycle of life".

Rundt bassengkarmen på fonte
nen finnes 60 relieffer i bronse
Som i gruppene på karmen g
de en fremstilling av livets syklu
med både realistiske og symbol
ske motiver.

There are sixty bronze relie
round the wall of the fountair
Like the groups of people an
trees on the rim, they also po
tray the life cycle, using bot
realistic and symbolic motifs.

Figurporter i smijern med Monolitten i bak grunnen.

Wrought-iron figured gates with the Monolith in the background.

Smijernsporter rundt Monolittplatået.

Wrought-iron gates round the Monolith Plateau.

Menneskesøylen, kalt Monolitte
fordi alle figurene (121) er hugge
ut av én granittblokk. Høyde: 17,
meter.

Vigeland's Human Column, is call
ed the Monolith because all 12
figures have been carved from on
block of granite. Height: 57feet.

På sirkeltrappen rundt Monolitten stå
36 grupper i granitt. Også her finne
menneskets forskjellige aldre representert
fra bagynnelsen til slutten av livet.

On the steps encircling the Monolith, ther
are 36 groups in granite. These, too, represen
people of all ages, from the early to the fina
stages of life.

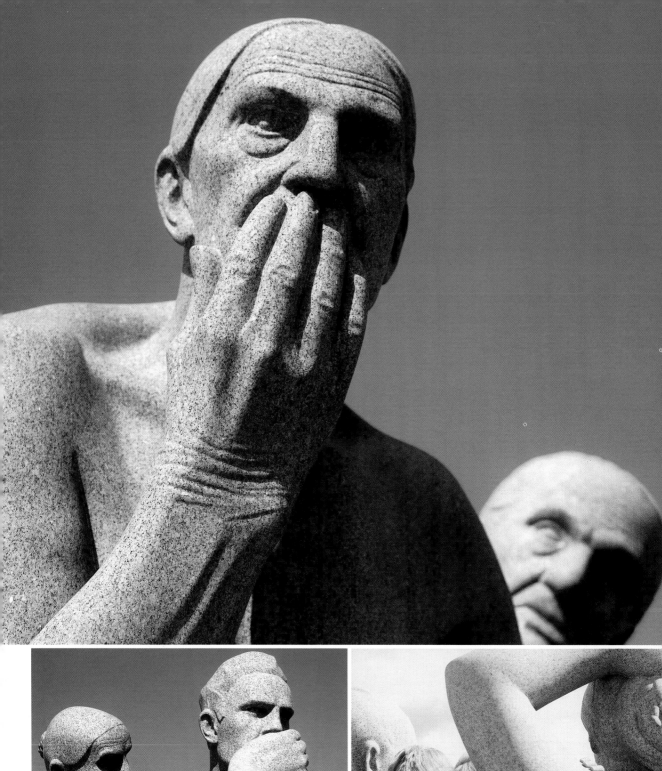

Granittgrupper på sirkeltrappen.

Groups in granite on the circular steps.

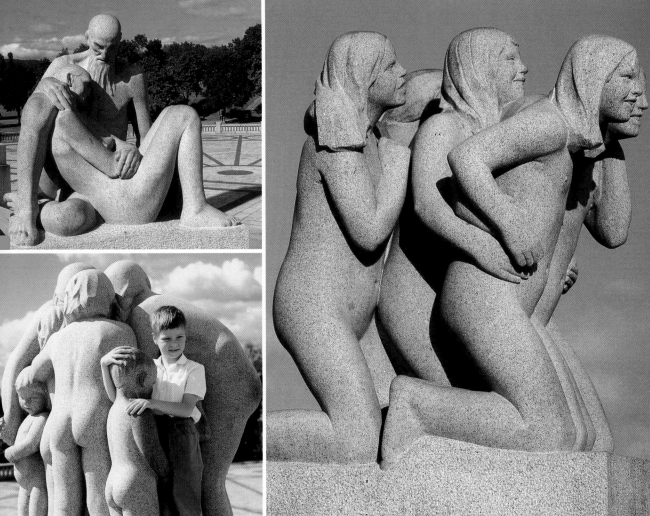

Solur med relieffer av Zodiakens tegn på sokkelen "Livets hjul" med syv figurer i bronse avslutter hovedaksen i parken.

Sundial, with the signs of the Zodiac in relief on the base. "The Wheel of life" is the last sculpture along the main axis in the park.

geland-museet (5 minutter å gå fra parken) ble
gget av Oslo kommune i 1920-årene som atelier og
lig for Gustav Vigeland; til gjengjeld forærte
geland byen alle sine oruginalmodeller. I museet
nes 1600 skulpturer, ca 12000 tegninger og 420
snitt.

The Vigeland Museum (5 minutes' walk from the
Sculpture Park) was built by the City of Oslo in the
1920s for Gustav Vigeland as studio and dwelling
place. In return, Vigeland donated all his original mod-
els to the City. The Museum contains 1600 sculptures,
about 1200 drawings and 420 woodcuts.

nrik Ibsen, 1903

nrik Ibsen, 1903

Mor og barn, 1909

Mother and child, 1909

Ung mann og kvinne, 1906

Young man and woman, 1906

Utgitt av / Published by: © Normanns Kunstforlag AS
Postboks 223, 2001 Lillestrøm, Norway.
Tlf. / Phone: (+47) 64 80 27 00

Tekst / Text: Jac Brun
Formgiving / Design: Dino Sassi/Inge Stikholmen
Trykket av / Printed by: Kina Italia S.p.A. – Milan
Foto / Photo: Dino Sassi, Urpo Tarnanan, Trygve Gulbrandsen
© Vigelandsmuseet/BONO